육아를 우리답게,
세상을 아름답게

저자 김은미

경상남도 창원에서 자신의 일을 너무 사랑하는 사회복지사로 약 5년간 근무하고 현재 육아휴직 중인 초보 엄마. 해군 남편을 만나 결혼을 하고, 남편의 제주 발령으로 1년간 제주 생활을 하게 된다. 제주에서 출산과 육아를 하며 겪은 에피소드를 네이버 블로그(은미하게 위대하게)에 연재 중이다.

저자 박찬웅

대한민국 해군 헬기 조종사로 7년 차 근무 중인, 현재 육아휴직을 앞둔 초보 아빠. 책을 읽는 것이 쉼이라 생각할 정도로 책을 사랑하는 저자는, 인스타그램 팔로워 약 7천 명을 보유한 책 계정(@book_worker_)을 운영 중이다. 일과 육아, 책까지 모든 토끼를 잡고 싶은 저자의 진솔한 이야기가 담긴 육아 에세이를, 제주에서 첫 책으로 출간하게 되었다.

육아를 우리답게, 세상을 아름답게

세아 엄마와 아빠의

엄마
김은미

아빠
박찬웅

육아에세이 in 제주

누군가에게 가르치기 위해 혹은 보여주기 위해 쓴 글이 아닌, 온전히 우리 부부다운 육아. 이로써 사랑하는 딸이 세상을 아름답게 할 미래를 기대하며 쓴 책이다.

1년간의 제주살이에서 출산과 육아를 경험한 우리 부부의 고민과 그 고민이 녹여진 기도가 적혀있다. 엄마는 육아의 최전방에서 겪은 어려움과 그에 따른 깨달음, 다짐에 대해 말하고 있다면, 아빠는 요즘 아빠의 관점에서 실제적인 경험담을 가지고 솔직한 심정을 덤덤히 전한다. 이제 막 걸음마를 시작한 세아와 같이 초보 엄마와 아빠의 담백한 이야기가 담긴 에세이다.

"은미야, 제주로 발령받게 되었어." 남편과 결혼한 지 7개월 만에 아름다운 섬 제주에서 1년 살이하게 되었다.

한두 달에 한 번씩 출장을 가던 남편과 1년 내내 붙어있을 수 있다는 기대감과 가족, 친구 없이 출산과 육아를 해야 하는 두려움이 공존했다. 그렇게 아는 사람 없이 시작한 제주에서의 시간 동안 남편과 단둘이 지지고 볶으며 많은 이야깃거리가 생겼고, 그 이야기를 에세이로 풀어내게 되었다.

본 책에는 우리 부부가 살아온 인생과 각자의 가치관이 담긴 육아를 보여주고 있다. 1부 엄마의 이야기에서는 육아하며 어려웠던 일들과 이를 극복하고자 애쓴 마음들, 그리고 육아에 대한 나름의 다짐들을 이야기하고자 했다.

2부 아빠의 이야기에서는 출산 과정과 육아의 삶을 요즘 아빠의 관점에서 실제적이고 구체적으로 표현하고자 했다.

또한 하나님이 인도하시는 가정이 되길 소망하는 마음으로 우리 부부의 간절한 기도를 각 에피소드에 녹여냈다.

우리 부부만의 육아를 통해, 세아가 '세'상을 '아'름답게 만들어가기를 바라는 마음을 가득 담은 『육아를 우리답게 세상을 아름답게』육아 에세이다.

마지막으로, 에세이를 출간하며 세아를 하나님과 세상 앞에 부끄럼 없이 키우겠다는 다짐을 해본다.

1장
엄마의 이야기

2장
아빠의 이야기

1장. 엄마의 이야기

엄마
김은미

육아 좌우명 | 비교하지 않기

"육아는 어때? 힘들지?" 제주에서 세아를 양육하며 지인들과 연락할 때마다 듣는 질문이다. SNS상으로 육아를 표현할 때 '헬'이라는 단어를 쓰면서까지 '힘듦'을 강조해서 그런지, 힘들지 않냐는 질문이 가장 자연스럽고 많았다.

지금의 내 삶에서 이 질문에 대한 답은, 과하지도 모자라지도 않고 딱 알맞은 만족이 있는 상태에 있다는 것이다. 왜 이러한 만족이 있을 수 있을까 생각해 보니, 바로 육아에 있어서 '남들과 비교하지 않는 태도'를 '유지'하려고 '노력'하고 있기 때문이었다.

출산하기 전, 친언니가 다른 엄마들과 비교하지 말고 나만의 육아를 하라는 편지를 준 적이 있다. 처음 편지를 봤을 땐, 나는 왠지 잘 해낼 수 있을 거로 생각했다. 하지만 실제로 육아를 해보니, 남들과 비교하지 않는 나만의 육아를 한다는 것이 참, 참, 참 쉽지 않았다.

무엇보다 SNS에서 좀 잘한다는 엄마들의 영상을 보며 발달이 빠른 아이에 비해 세아가 느린 건 아닌지, 경제적으로 아이에게 무한정 퍼주는 엄마를 보며 나는 그러지 못하는 현실에 슬프기도 했다. 하지만 생각해 보니, 그 마음을 가지고 세아를 바라보는 나와 우리에게 손해가 되는 것 같았다. 이것을 깨닫고는 그런 내용이 보이면 얼른 덤덤하게 넘어가려 노력했다. 대신 SNS에서 아이의 시기에 맞는 발달 자극을 찾아서 직접 해주기도 하고, 자신만의 노하우를 담은 자료를 무료로 배포해 주는 엄마들의 도움을 받기도 했다. 즉, SNS에서 얻는 정보도 선택이고, 그에 대한 감정도 선택할 수 있는 것이다.

최근 초등학교 교사인 엄마가 아이 교육에 3억을 썼다는 글을 봤다. 처음엔 '와 3억? 내가 현실적으로 아이에게 3억이나 되는 돈을 투자할 수 있을까?'라는 생각이 들었지만, '나는 아이에게 돈의 가치를 뛰어넘는 자연과 생태계, 책으로 교육해야겠다'라는 생각으로 마음을 고쳐먹었다. 물론 교육투자 비용에 3억이라는 금액이 과하거나 부족한지는 알 수 없지만, 적어도 나만의 육아 철학으로 세아를 키워내고 싶은 마음이 내 중심이 있었다.

요즘엔 책 육아, 여행 육아 등 정말 다양한 육아 지침서나 육아 방법이 존재한다. 그 방법을 공부하고 찾아보는 것도 필요하지만, 먼저는 '남들과 비교하지 않는, 세아를 세아답게 키워내고자 하는, 육아를 나답게 하고자 하는' 마음가짐이 육아에 있어서 가장 중요하다는 생각이 든다. 근데…. 나…. 잘할 수 있겠지?

하나님, 세아를 완벽하게 키우기 위해 애쓰지 않게 하시고, 다른 가정과 비교하며 부정적인 감정에 휩쓸리지 않게 도우소서. 세아를 세아답게, 육아를 나답게(우리 부부 답게) 할 수 있도록 하나님의 지혜를 부어주시옵소서.

그놈의 모유 수유

'엄마가 행복해야 육아가 행복하다'라는 말을 귀가 닳도록 들어왔다. 그렇지만 힘들더라도 해내고 싶었던 게 있었다. 그건 바로 모유 수유다. 출산하고 병원에서 첫 유축으로 나온 적디적은 5ml의 모유를 보고 헛웃음이 나왔다. '와, 그냥 포기해야 하나?' 싶었는데, 찾아보니 초유는 꼭 먹여야 한다고 해서, 일단 산후조리원에서 열심히 세아와 호흡을 맞춰갔다. 초반에 뭣도 모르고 가슴이 너무 아파서 젖이 도는 것을 막는 양배추 크림을 열심히 발라대기도 하고, 가슴을 쥐어짜는 유축을 하며(이렇게 하면 안 된다) 내 영혼을 갈아 넣었다.

산후조리원에서 3시간 단위로 유축하고, 신생아실에서 호출이 오면 또 세아에게 모유를 먹이러 가고, 세아는 먹다가 잠들고, 그러면 깨워서 먹이고, 결국 분유로 보충하면 자존심이 상했다. 그래도 이런 시간을 견뎠기 때문에 집에 돌아왔을 때도 모유 수유를 계속할 수 있었다.

그렇게 세아가 만 5개월이 되어 모유 수유를 끝내고 분유로 완전히 갈아탔을 때, 알 수 '있는' 해방감이 있었다. 모유 수유를 하며 세아가 충분히 먹었는지 알 수 없어서 젖 무는 시간에 얽매였었던 걱정이 사라진 것이다. 그리고 몸에 안 좋은 음식을 먹을 때면 세아에게 안 좋은 영양분이 갈까 봐 들었던 죄책감도 사라진 것이다.

이런 걱정과 죄책감에 사로잡힌 모유 수유를 하면서 매일 단유를 생각했었다. 그렇게 '내일은 그만둬야지. 단유해야지'라고 마음먹다가도 다음날이 되면 왜인지, 세아에게 젖을 먹이고 있었다. 먼 제주에서 홀로 육아를 하며 지쳐가는 내 몸은 군데군데 멍들어가고 있었다. 다행히도 온라인 장보기와 반찬가게의 힘을 빌려서 숨통이 트였지만, 점점 아파하는 내 몸을 보며 무슨 고집인지 몰라도 고집을 부렸다는 생각이 들었다.

그래도 세아의 모유 먹는 모습과 잠이 든 모습을 내 눈에 담을 수 있어서 행복했고, 나중에 수술할 세아에게 줄 수 있는 최고의 선물이라고 생각하며 견뎠던 시간들이다. 그리고 지금까지 많이 아프지 않고 잘 살아내고 있는 세아를 보며 고생했던 나에게 토닥토닥 위로해 주고 싶다.

이렇게 나름의 이유가 가득했던 모유 수유는 힘들기도 좋기도 하면서 나에게 준 깨달음이 있다. 가장 좋은 것을 주고 싶은 엄마의 마음에 속아 나 자신도 챙기지 못하는 '이상한 고집'을 부릴 수도 있다는 것이다. 이 책을 읽는 엄마들은 공감할지도 모르는 이 이상한 고집은 사실, 정상적인 반응일 것이다. 그럼에도 초반에 말한 엄마의 행복이 우선 되어야 아이에게 그 행복을 전해줄 수 있다는 것을 잊지 말아야 한다.

어쩌면 앞으로의 육아에서도 이 이상한 고집이 불쑥 나올지도 모르겠다. 가끔은 그 고집에 져서 좋은 엄마로 포장할지도 모르겠다. 그래도 한 걸음 물러서서 그것이 고집인지 아니면 정말 해낼 수 있는 일인지 분별해 내자는 다짐을 해본다.

　하나님, 육아를 하며 고집을 부리고 싶은 순간이 찾아올 때 가장 좋은 방법을 선택하게 하시고, 선택을 잘할 수 있는 지혜를 더해주시옵소서.

육아는 근육 싸움이다.

어두운 엄마 뱃속에서 먹고 자고 놀던 작디작은 아가는 세상에 나와, 엄마와 아빠에게 온전히 기대어 모든 것을 해주는 대로 받아먹는 신생아 시절을 겪어낸다. 시간이 지나면 점점 목도 가누고, 다리에도 힘이 생겨서 앞으로 기며 온 집안을 탐색하는 시간이 온다. 벌써 9개월이 된 호기심 가득한 세아는 지금 온 집안을 누비는 무법자가 되었다. 내가 집안일을 하려고 부엌, 화장실, 방을 돌아다니면 세아는 나를 구경하러 따라다닌다. 이제 혼자 앉아 놀기도 하고 좋아하는 장난감이 생기기도 한 세아를 보며, 하루가 다르게 커갈 앞으로의 모습이 점점 기대된다.

아기를 가지기 전부터 나의 관심사는 '독립'이었다. 우리 엄마는 누누이 말씀하셨다. 30세가 되도록 집에 있으면 온 짐과 함께 대문 밖으로 쫓아낼 거라고. 장난 반 진담 반이 아닌 진담 100%였다. 다행히도 그 전에 독립했는데. 우리 부모님은 평소에도 나를 건강한 독립을 할 수 있게 키워주셨다.

하나님께서는 나를 이 땅에 보내셔서 나만의 모습으로 하나님의 나라를 확장해 나가는 '사명자'로 보내셨다. 그러므로 나의 모습을 통해 하나님을 영화롭게 해야 한다. 우리 부모님이 나를 잘 키워주셨듯이, 나의 아기도 내 품을 떠나는 날까지 '잘 독립'된 사람으로, 하나님 나라에 '1인분'을 해내는 사람으로 키워내고 싶다.

하지만 걱정이 있었다. 나는 MBTI 성격유형 검사에서 ESTJ로 엄격한 관리자 유형이다. MBTI가 답은 아니지만, 나를 잘 설명해 주는 부분이 많다. 어쨌든 나는 일로도 관계에서도 보기와 다르게(?) 완벽주의를 추구하는 면이 있어서 사실 육아에 대해 걱정했었다.

그런데 육아는 완벽주의적으로 접근 자체가 불가능하며(나에게 있어서), 해보면 해볼수록 모든 것을 내가 직접 다 해야 하거나 할 수 있는 것이 아님을 깨달았다.

쉽게 말하면 육아는 '아이와 함께 길을 함께 걷는 것'과 같다. 울퉁불퉁한 길이 나오면 다른 쉬운 길을 가르쳐 주기도 하고, 등에 업어서 데려가기도 하지만 때론 직접 가보게도 한다. 평생 내가 그 길을 함께 가줄 수는 없기 때문이다.

현재로서는 세아가 혼자 앉아보고 기어가는 것이 직접 가봐야 하는 길이다. 자신만의 근육을 만들어야 부모의 도움 없이 혼자서도 해낼 수 있기 때문이다. 나중에 사춘기가 오고 사회생활을 할 때도 여러 외롭고 어려운 길에서 방황할 수도 있지만, 세아가 자신만의 근육을 잘 기른다면 모든 길을 충분히 이겨낼 수 있을 것이다. 그렇기에 나는 알려줘야 할 길과 혼자 가봐야 할 길을 잘 안내해 주고 싶다. 그러기 위

해선 나는 지금 기다림의 근육을, 세아는 진짜 근육을 키우는 때인 듯
하다.

하루하루 우리 육아는 근육 싸움이다.

하나님, 매일 펼쳐지는 근육 싸움을 통해 우리에게 필요한 근육이 잘 만들
어지게 도와주시옵소서. 또한, 세아가 잘 독립된 하나님 나라의 사명자로 살
아내게 하소서

아픈 손가락

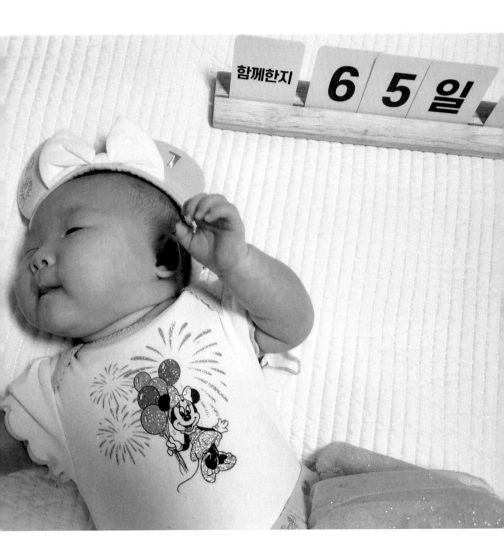

함께한지 **6 5** 일

이번 글은 에세이에 담을까 말까? 백만 번 고민하다가 결국 남편과 함께 담기로 결정한, 우리 세아의 아픈 손가락에 관한 이야기이다.

세아는 초음파상으로나 기형아 검사에서나 모두 아무 이상이 없는 건강한 아기였다. 하지만 세아가 태어나고 산후조리원에서 알게 된 세아의 여섯 번째 손가락은 임신 중의 모든 감사를 무너뜨리는 좌절로 다가왔다. '내가 임신 중에 뭘 잘못 먹었지? 괜히 일을 했나? 내가 어떤 실수를 했지?' 아무리 주변에서 엄마 탓이 아니라고 해도 어쩔 수 없었다. 내 배에서 내가 품었던 아기이기 때문에 모든 게 내 잘못 같았다. 산후조리원 신생아실에 갈 때마다 터져 나오는 눈물을 참고 모유 수유를 했다. 혹시라도 내 슬픔이 모유를 통해 세아에게 전달될까 두려워 눈물을 머금고 '내 새끼 미안해. 내 새끼 사랑해.' 수없이 되뇌었다. 세아의 손가락을 볼 자신이 없어서 며칠은 속싸개를 풀어보지도 못했다.

"수술하면 없어질 손가락으로, 한 번뿐인 이 시기를 슬픔으로 보내지 말거라." 세아의 손가락을 알게 된 날, 친정엄마가 나에게 해준 말이다. 매일 밤 남편과 소리 내어 기도하며 이 말을 되새겼다. "이 시기를 슬픔으로 보내지 않도록, 우리 부부의 마음을 잘 지키게 해주세요." 슬픔이 우리 가정을 지배하지 못하도록 우리 부부는 기도하고 기도하고 또 기도했다.

처음엔 세아의 손가락을 아무에게도 알리고 싶지 않았다. 사람들이 세아 손가락을 보고 수군거리거나 불쌍히 여기는 것조차 속상하고 걱정되었다. 그리고 이 마음이 세아를 부끄러워한다는 죄책감으로 이어졌다. 그때도 친정엄마는 "그 마음은 자식을 보호하고 싶은 부모의 당연한 마음이다."라고 해주셨다. 그리고 친언니의 "중보기도를 부탁해 봐라. 마음이 훨씬 가벼워진다."라는 말에 가장 가까운 사람들부터 조금씩 중보기도를 부탁하기 시작했다. 이야기를 들은 사람들은 함께 울어주기도 하고, 수술하면 괜찮아질 거라고 진심으로 위로해 주었다. 그렇게 나와 우리 가족을 사랑해 주는 사람들 덕분에 차츰 세아의 손가락이 가벼워지기 시작했다.

여전히 SNS에서는 세아의 손가락을 가려서 올리기도 하고, 굳이 알리지 않아도 되는 상황에서는 말하지 않았지만, 생각보다 세아의 손가락을 자세히 보는 사람은 없었다. 그래서 점차 무뎌졌던 걸까, 때론 세아의 아기자기한 여섯 번째 손가락의 존재를 잊고 살기도 했다.

세아가 9개월이 되어 수술하게 되었고, 수술 전 [신 31:30-32:14] 말씀을 묵상했다. 말씀에서는 모세가 광야 가운데에서 이스라엘이 기억해야 할 노래를 가르쳐 준다. 노래를 묵상하며 나온 '왜 이스라엘 백성들을 광야에 보냈나요?'라는 질문은 '왜 세아에게 이런 일이 일어났나요?'라는 질문과 연결되었다.

광야 가운데 이스라엘 백성을, 나를, 우리 가족을 보낸 이유는 '하나님이 우리에게 어떤 분이신지, 하나님이 우리에게 어떻게 일하시는지, 하나님은 우리를 어떻게 사랑하시는지'에 대해 알려주기 위함이라는 생각이 들었다. 하나님께서는 우리가 독수리 새끼처럼 연약하지만, 둥지에만 있게 하지 않으시고 일부러 둥지 밖으로 보내어 우리를 연단시키신다. 또한 어미 독수리가 새끼 독수리 곁을 떠나지 않고 지키듯이, 하나님께서는 우리를 눈동자와 같이 지키신다. 그런 하나님께서 세아의 손가락이라는 방법으로 우리 가정에게 일하셨다. 즉, 세아의 손가락을 통해 하나님의 깊은 사랑을 느끼게 해주셨다. 이 깨달음과 함께 세아의 손가락 수술은 안전하게 끝이 났다.

이젠 그 조그마한 아픈 손가락은 없어졌지만, 흉터가 남아있다. 우리에게 이 흉터는 하나님이 주신 사랑의 흔적이 되었다. 존재 자체로도 사랑받을 아가이지만 세아는 정말 많은 사람의 특별한 기도와 사랑을 받았다.

사실 괜찮다고 했지만 내 마음 깊은 곳에서는 '손가락 이벤트 없이 건강했다면 어땠을까'하는 생각이 있었다. 하지만 지금은 비교할 수 없는 하나님과 사람들의 사랑을 먹고 자란 세아를 보며, 바꿀 수 없는 값진 경험이었다고 고백한다. 앞으로 세아에게 더 많은 일들이 일어날 텐데, 세아의 손가락을 견뎌낸 힘이 가장 큰 밑바탕이 될 것이라 확신한다. 하나님은 정말 나를 사랑하시나 보다.

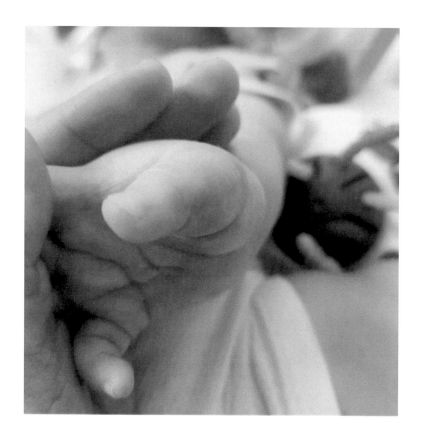

하나님, 세아의 손가락을 통해 저와 우리 가정에 하나님의 열심(연단하심과 보호하심)을 체험하게 해주셔서 감사합니다. 앞으로 세아를 양육하며 겪게 될 모든 일 가운데 하나님의 열심을 잊지 않게 하시고, 늘 하나님의 깊은 사랑을 더욱 깨닫게 해주시옵소서.

행복한 육아의 비결

출산이라는 것은, 부부에게 있어서 인생에 큰 전환점이다. 삶의 전개 자체가 바뀌게 된다. 특히나 여자에게 있어서는 신체의 변화뿐만 아니라 육아휴직 등 주변 환경까지도 변하게 된다.

나는 임신 때부터 다리 부종이 심했고 손목이 매일 아파서 잠도 많이 설쳤다. 출산 후에도 다리 부종과 손목은 낫지 않았고 지금까지도 자기 전에 높은 베개를 다리 사이에 끼고 자고 있다. 이뿐만이 아니다. 호르몬의 변화로 갑자기 서러워지거나 두려워지는 등 감정 변화도 참 많기도 하다. 특히나 일을 좋아하고 일로 성취를 느끼던 내가, 육아로 성취감은커녕 새로운 일상에 적응해야 했다.

남자보다 여자가 더 힘들다고 말하고 싶은 게 아니라 현실이 이렇다는 것이다. 집안일이든 정신적으로든 남편의 도움이 진짜 절실하다.

남편은 감사하게도 이런 상황을 잘 인지하고 있고, 지금까지도 나와 손발을 잘 맞춰서 알콩달콩 지내고 있다. 우리 부부가 어떻게 행복한 육아를 유지하고 있는지에 대해 그 비결 5가지를 이야기해 보고자 한다.

첫 번째, '누가 더 힘든지 재지 않기'이다. 나는 제주에서 홀로 육아를 담당하고, 남편은 잦은 비상대기와 당직을 견디며 각자의 자리에서 열심히 살아가고 있다. 세아를 봐줄 사람이 없다 보니, 육퇴 후의 저녁은 우리 부부의 보상 심리가 강해지는 시간이 된다. 하지만 저녁 시간에는 할 일이 정말 많다. 세아가 후기 이유식을 시작하며 하루 세 끼의 설거짓거리와 젖병, 젖꼭지, 장난감까지 설거지만 해도 엄청난 양이 나온다. 그뿐만 아니라 빨래, 세아 목욕 정리, 이유식 만들기 등 다음날을 잘 보내기 위해 이 저녁을 정말 잘 보내야 한다.

이렇게 바쁜 저녁 시간에 남편이 가장 많이 한 말은 "낮 동안 집안일 하려고 하지 마. 퇴근하고 내가 할게!"였다. 남편은 이것을 당연하다고 했다. 본인도 일하고 와서 힘든 데, 재지 않고 나서서 하는 것이다. 물론 남편이 힘들 땐 내가 더 하기도 하고 남편이 더 할 때도 있다. 하지만 이런 것들을 재지 않고 에너지가 있는 사람이 더 하는 것. 이것이 육아 장기전을 지속할 수 있는 힘이 되었다.

두 번째, '아침에 일어나서 새벽에 어땠는지, 잘 잤는지 물어보기'이다. 남편은 아침마다 새벽에 세아가 많이 깼는지, 나는 잘 잤는지 물어봐 주고 있다. 남편은 헬기 조종사로 목숨을 걸고 비행 하고 있어서 새벽에 세아를 봐줄 수 없다. 그래서 미안한 마음에 항상 아침에 이 질문을 해오고 있는 것이다. 사실 별거 아닌 것처럼 보일지도 모르겠지만, 이런 질문을 꾸준히 한다는 것은 새벽 육아에 대한 고마움과 미안함을 표현해 주는 것이기 때문에, 남편에게 가장 고맙고 감동인 부분이다.

무엇보다 남편은 물어보는 것으로만 끝내지 않고, 쉬는 날엔 아침 첫 수유를 담당해 주고 있다. 직장인들은 쉬는 날 늦잠을 자고 싶을 텐데, 한 번도 빠짐없이 나에게 늦잠을 양보해 준다. 정말 고맙고 대단한 내 남편이다.

세 번째, '서운한 것은 그날 안에 말하기'이다. 우리 부부는 연애 때부터 이것을 지켜오고 있다. 아무리 부부 사이가 좋더라도 서운한 게 없을 수가 없다. 너무 지친 날에는 아무 의미 없이 한 말에 상처받기도 하기 때문이다.

우리 부부는 밤 10시에 기도하는 시간이 있는데, 이때 서로 서운한 것이 있으면 솔직하게 말하고 있다. 최근 남편이 말한 서운한 점은 내가 잔소리가 많다는 것이었다. 다음에 할 일을 잘 알고 있는데, 내가 너무 빨리 다음 미션을 주고 있었다. 이것을 듣고 바로 사과했고 앞으론 남편을 잘 기다리기로 했다.

이렇게 꾸준히 소통하는 시간을 가지고 서운한 점을 바로바로 말하니, 부정적인 감정이 쌓이지 않고 육아에 집중할 수 있게 되었다.

네 번째, '사랑 표현하기'다. 대표적으로 "고마워, 고생했지, 미안해, 사랑해"가 있다. 이 말들을 알긴 알아도 생각보다 평소에는 잘 안 하게 되는 듯한데. 우리 부부는 연애 때보다 육아하면서 더 많이 말하고 있다. 작은 것에도 고마움을 꼭 표현한다. "물 좀 갖다줄래? - 고마워", 퇴근하고 오면 "오늘 고생 많았지, 누가 괴롭히는 사람은 없었어?", 자기 전에는 "사랑해" "내가 더 많이 사랑해"라고 말해오고 있다. 하루도 빠짐없이.

그리고 남편과는 개그 코드가 잘 맞는데, 이것이 육아할 때 빛을 발한다. "오늘 설거지해 줄 잘생긴 남편 구함" "오늘 청소기 밀어줄 귀여운 남편 구함" 이렇게 말하면 안 할 수가 없다. (물론 남편의 동의를 구했다)

또 가끔은 안 고마워도 고맙다고 말하며, "냉면에 겨자 안 뿌리고 싶었는데 뿌려줘서 고마워" "그건 안 해도 됐었는데 굳이 해줘서 고마워"라고 장난스럽지만, 모든 것에 고마움을 표현하고 있다.

다섯 번째, '스킨십 하기'이다. 이것도 표현하기 중의 하나인데, 우리 부부는 아침에 일어났을 때와 자기 전, 출퇴근할 때 무조건 스킨십을 하고 있다. 여기서 중요한 포인트는 세아에게 하기 전에 해야 한다. 그 이유는 우리는 전쟁 속 전우 같은 존재로 이것을 확인하는 도장과도 같은 것이기 때문이다.

이렇게 다섯 가지를 비결로 설명했지만, 무엇보다 남편의 다정함이 없으면 이렇게 지낼 수 없었을 것이다. 남편의 여유로움으로 내 삶이

풍요로워졌다.

행복한 육아는 행복한 부부관계에서 온다고 하는데, 그런 면에서는 나는 매일 행복을 느끼고 있다. 우리 부부가 다니는 교회에서 남편과의 일상을 말하면, 1가정 1웅이를 파견해야 한다고 하신다. 너무 재미있고 신나는 말이다. 그런 의미에서 나와 결혼해 주고, 나와 살아주는 남편에게 고맙다고, 앞으로도 잘 부탁한다고 말하고 싶다.

　하나님, 예수님의 성품을 닮은 남편을 우리 가정에 보내주셔서 감사합니다. 남편과 서로 사랑하고 아껴주는 행복한 부부관계를 잘 유지하게 해주시고, 이를 통해 행복한 육아를 하게 도와주시옵소서.

엄마의 편지

2022년 9월 24일 결혼을 했다. 결혼식이 끝나고 친정엄마가 조용히 선물 상자를 건네주셨는데, 상자엔 편지와 앞치마가 있었다. 편지를 읽고는 이 내용을 내 마음에 새겨야겠다는 생각이 들었고, 언제든지 읽어볼 수 있게 냉장고에 붙여뒀다. 엄마의 편지는 역시 엄마가 되어보니 더 큰 감동이 있다. 무엇보다 제주에서 홀로(남편과) 육아 하는 나에게 정말 큰 힘이 되고 있어서, 편지의 힘이 이렇게 큰 것이었는지 새삼 느낀다.

엄마가 편지와 함께 선물해 주신 앞치마는 지금까지도 새것이다. 한 번도 착용을 못 했다. 그 이유는 편지를 읽어보면 느껴질 것이다. 에세이를 쓰면서 엄마의 편지를 꼭 넣어야겠다고 생각했다. 그 내용을 잊지 않게 기록을 남기고 싶었고, 무엇보다 이 편지를 읽는 우리 딸들과 하나님의 딸들에게 마음에 울림을 주고 싶기도 했다. 이제 아래 편지를 읽으며 잠시 엄마의 마음을 함께 느껴보길 바란다.

"은미는 맨날 다섯 살 해라이~"
이랬는데 새 신부가 되었구나.
예쁘고 사랑스럽고 지혜롭게 자라서 고맙고 감사해.
아름다운 은미가 엄마의 딸로 와서 자라주어 얼마나 좋은지 몰라.
이런 은미를 엄마 아빠의 선물로 주신 하나님께 감사가 넘친다.

한 남자의 아내로, 경건한 자녀의 어머니로, 하나님 나라의 권속으로 자리하거라.

살다 보면 한 가정의 안주인으로 감당할 일이 생기더라. 음식을 하거나 집안일을 할 때 앞치마를 하곤 하지. 앞치마는 옷이 오염되는 것을 막아주곤 해. 안주인이 하는 일이랑 비슷한 것 같더라.

하나님께서 한 가정의 권위자로 남편을 세우셨다면 아내는 그것을 지켜내는 것이 아닐까?

은미는 잘할 거야.

엄마가 앞치마를 선물로 주네.

우리 딸이 기도하는 안주인이 되기를 바라면서 엄마가 늘 기도했지. 은미가 하나님의 사랑을 받는 것처럼 사람들에게도 사랑받기를.

그 사랑을 흘려보내기를.

이 기도를 들으시고 응답해 주셨네.

우리 예쁜 은미가 그 응답이지.

결혼 축하해 그리고 많이 사랑해

그리고 고마워.

2022년 9월 24일 엄마가.

세아가 결혼할 때, 나도 엄마처럼 세아에게 이렇게 편지를 쓰고 싶다. 세아를 위해 기도했고 세아가 그 응답이라고 말해주고 싶다.

하나님, 어머니의 기도처럼 남편의 권위를 지키는 아내가 되고, 기도하는 안주인이 되게 하소서. 우리 세아도 하나님의 사랑을 받는 것처럼 사람들에게도 사랑받고, 그 사랑을 흘려보내게 도와주시옵소서. 넉넉한 기도와 사랑으로 저희 부부를 키워주신 양가 부모님들께 끝이 없는 축복을 내려주시옵소서.

2장. 아빠의 이야기

아빠 ♡
박찬웅

세아의 탄생

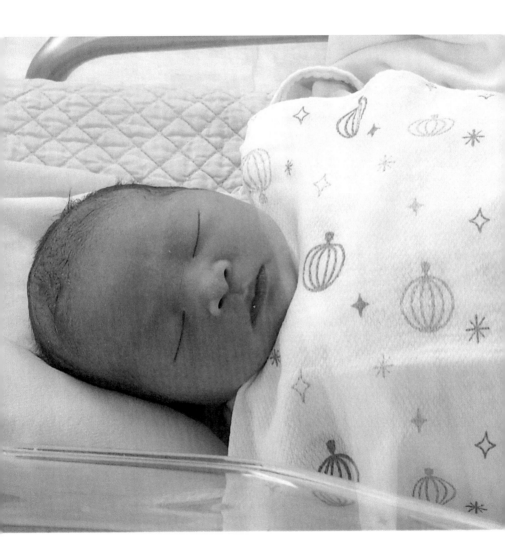

작년 여름, 세상에 태어난 딸아이에게 '세상을 아름답게' 만들며 살아가라는 의미로 '세아'라는 이름을 지어주었다. 예쁘게 이름 지은 딸아이를 만나기 위해 아내는 제왕절개 수술을 받으러 수술실로 들어갔고, 약 20분간의 시간이 지났을 무렵 아이의 울음소리가 났다.

그때의 감격은 잊지 못한다. 수술실 앞에서 대기하는데 어찌나 아이의 울음소리가 반갑던지, 기쁘게 가족, 친지분들께 전화를 돌렸다.

세아가 마침내 수술실 밖으로 나오고 약 9초간의 짧은 만남을 가졌다. 꼬물거리는 아이가 얼마나 귀여웠는지 지금도 눈에 선하다. 병원에서 4박 5일을 입원하며 회복하는 기간을 가졌다. 아내는 수술한 날 5시간의 눈물조차 나오지 않는 통증을 참아냈다. 무통 주사도 잘 들지 않는 고통이었다. 아내의 아픔을 지켜보는 것이 정말 가슴 아팠고, 대신 아파줄 수 없다는 것이 미안했다.

해줄 수 있는 것은 '엉덩이 가벼워지기'뿐이었다. 아내가 계속 누워 있다 보니 새벽에는 다리가 심하게 부어서 새벽에 일어나 다리 마사지를 해주기도 했다. 그리고 병원에 있는 동안 아내의 모유 유축을 함께 했는데 유축이 생각보다 쉽지 않아서 '유축을 잘하는 법' 영상을 찾아보기도 했다. 사실 초반엔 모유가 너무 조금 나와서 놀라기도 했다. 그래도 세아에게 초유를 줄 수 있다는 기쁨으로 모유의 양에 상관없이 신생아실에 갖다주었다.

세아는 하루에 딱 한 번만 볼 수 있었고, 창문 너머로 아이를 보는 낙에 입원 기간을 버텨냈다. 신생아실 간호사가 세아가 순한 편이라고 하는 말에, 이 조그마한 아기에게 그런 특징을 볼 수 있다는 게 신기하고 좋았다. 세아는 볼 때마다 거의 눈을 감고 있었는데 한 번씩 눈을 뜨고 우리를 본다고 느껴질 때면 너무 사랑스러워서 얼른 안아주고 싶었다.

4박 5일의 의료원에서의 입원 생활을 끝내고 약 1시간 거리에 있는 조리원으로 넘어갔다. 태어난 지 일주일도 안 된 갓난아기를 차에 태우고 조심히 운전하여 갔다. 내 평생 가장 떨리는 운전이었다.

갓난아기를 태우고 1시간을 운전하기란 쉽지 않았다. 자동차의 시원한 에어컨 바람이 있었음에도, 중간에 잠시 환기도 하고 젖도 물리고 트림도 시켜주느라 우리 부부는 식은땀 뻘뻘 흘리며 조리원으로 향했다. 고맙게도 세아가 거의 잠을 자서 조용히 조리원에 갈 수 있었고 차 안에서 아내와 앞으로의 생활에 대한 설렘과 걱정을 나눴다.

"우리 잘할 수 있겠지.?"

그렇게 모든 게 처음이라 서툴지만 나름의 최선으로 초보 부모의 첫걸음을 내디뎠다. 차에는 "아이가 타고 있어요" 스티커와 함께.

주여, 저희는 부족함이 많은 부모입니다. 세상의 것이 아닌 완전하신 하나님께 온전히 기대어 세아를 양육할 수 있게 도와주시옵소서.

조리원 생활

조리원에서의 생활은 단조로웠다. 코로나가 완전히 풀린 시기가 아니라서 나는 방에서 꼼짝할 수 없었고, 아내는 신생아실에 가서 모유 수유를 하거나 마사지를 받으러 다녔다. 무엇보다 아내는 모유 유축을 3시간 단위로 해야 해서 새벽에도 일어나 꾸벅꾸벅 졸며 모유를 짜냈다. 그 모습이 정말 안타까웠고 한편으론 고생에 대한 고마움이 가득했다. 비록 매일 같이 일어나진 못했지만, 한 번씩 새벽에 일어나 그 시간을 함께 보내기도 했다.

제왕절개의 고통은 후불제라는 말을 들었다. 조리원에서도 아내는 혼자 눕고 다시 몸을 일으켜 세우기도 힘들었다. 심지어 이를 닦고 뱉어낼 때도 배에 힘을 줄 수 없어서 고생했다. 병원에서 다짐한 것처럼, 내가 직접 출산의 고통을 겪어줄 수 없는 대신 '엉덩이를 가볍게 하자!' '내가 할 일을 찾아서 하자!'는 다짐을 행동으로 이어갔다. 하지만 좁은 방에서 할 수 있는 일이라곤 많이 없었는데 가장 집중해서 한 것은 '아내의 이야기 들어주기'다. 모유 수유의 고충을 들어주고, 육아에 대한 고민을 의논했다. 그뿐만 아니라 침대에서 눕고 일어날 때마다 손을 잡아주고 때론 어떻게 해주면 좋을지 직접 물어보고 그대로 하려 노력했다. 2주간의 조리원 생활을 하는 동안 아내에게 맞춰 생활하면서 스스로 다짐한 건 나의 노력에 대해 내색하지 않기였다.

이런 생각을 한 이유는 노력을 알아줬으면 하는 마음에 하는 행동들이 결국은 안 해주는 것만 못하다고 느껴왔기 때문이다. 알아줬으면 하는 마음에 하는 행동은 결국 나 자신을 드러내고 싶은 마음에 하는 것이고, 상대방이 그것을 알았을 때는 오히려 고마움이 반감된다. 내색하지 않고 자연스럽게 상대방을 위해 한 행동을 상대방이 알았을 땐 그 고마움이 더 커지게 된다. 그래서 조리원에서 항상 아내를 위해 내가 할 수 있는 게 어떤 건지 찾아서 하려고 했고, 그 행동을 나 스스로 당연하게 여기려 노력했다. 조리원에서 집으로 돌아가는 길에 아내가 이런 나의 태도를 알아주었고 진심으로 고마워하기도 했다. 앞으로의 나의 육아 태도 또한 이렇게 되어야겠다는 다짐도 자연스레 하게 되었다. 쓰다 보니 열심히 한 부분이 부각 되어 보이지만, 부족함도 정말 많았다. 아내는 정리를 참 잘하는데 아내가 만족할 만큼 정리를 못할 때도 있었고, 새벽에 내가 필요할 때 너무 잘 자고 있을 때도 있었다. 하지만 원룸 크기의 좁은 조리원 방에서 생활하는 2주간 우리 부부는 더욱 끈끈해졌다고 자부한다. 집에서 본격적인 육아를 하기에 앞서, 서로 간에 호흡을 맞출 수 있었던 귀한 시간이었다.

모자 동실은 하루에 두 번씩 있었는데, 그 시간은 정말 선물과 같았다. 품속에 아기자기한 우리 세아를 안고 있을 땐 정말 세상을 다 얻은

기분이었다. 우스갯소리지만, 머리가 큰 나와 반대로 아주 작은 세아의 머리를 가만히 함께 들여다보면 나는 '진격의 거인'이 따로 없었다. 신생아 100명 중 4등으로 머리가 작은 딸과 성인 중에서 머리가 큰 축에 속하는 아빠와의 투 샷은 볼만했다.

짧은 조리원에서의 시간이지만 육아란 시간과 정성을 온전히 쏟아부어야 하므로 쉽지 않은 것이라 느꼈다. 하지만 나와 닮은 아이의 사랑스러운 눈망울과 꼬물거리는 모습을 보며 앞으로의 모든 어려움을 이겨낼 수 있겠다는 생각이 들었다.

가끔 볼 수 있었던 세아의 미소는 정말 천사 같았다. 이러한 아이의 순수한 모습이 '하나님의 형상을 타고난 아름다운 모습'이라고 느껴졌다. 이렇게 아빠가 되어가고, 하나님의 마음을 알아가나 보다.

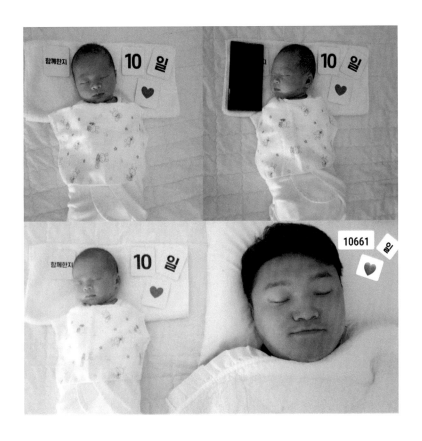

창세기 1장 27절

"하나님이 자기 형상 곧 하나님의 형상대로 사람을 창조하시되...."

주여, 세아가 주님의 형상을 닮아 어린아이와 같은 믿음을 놓지 않고 살아가길 원합니다.

만분의 1 확률

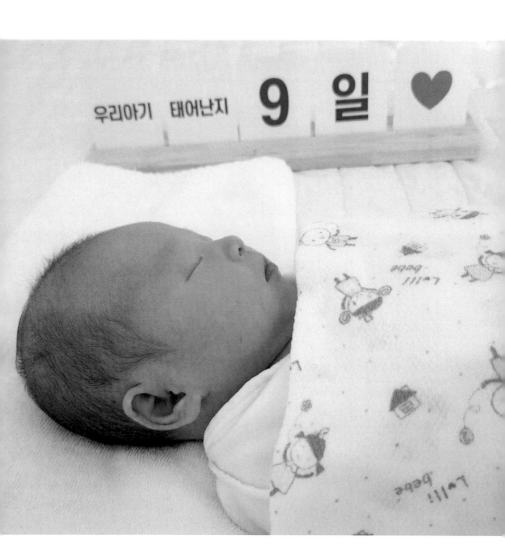

우리아기 태어난지 **9** 일 ♥

아이가 마침내 수술실 밖으로 나오고 약 9초간의 짧은 만남을 가졌을 때, 손가락도 확인하고 발가락도 확인했어야 했다. 아내가 임신 중일 때 받은 초음파 검사에서는 의사 선생님과 함께 손가락, 발가락을 하나씩 같이 세기까지 했었다. 출산 후에는 너무 짧은 순간에 세아를 봤기 때문에 세아의 엄지손가락을 자세히 보지 못했다. 그리곤 세아는 속싸개에 계속 싸여있었기 때문에 손을 볼 수 있는 시간이 없었다. 그렇게 조리원에 가서야 세아의 엄지손가락을 직접 마주하게 되었다.

처음 아이의 손가락이 하나 더 있다는 소식에 우리 부부는 하늘이 무너지는 마음이었다. 모든 게 내 잘못이고 태어나자마자 바로 확인을 하지 못한 내 불찰인 듯했다. 부모님과 장인어른, 장모님께 전화로 알려드릴 땐 죄송한 마음에 눈물이 났다. 그렇게 눈물을 머금고 며칠은 속싸개를 풀지 못했지만, 우리는 엄지손가락을 하트 손가락으로 이름 붙였다. 생김새가 하트 모양이기도 했고 세아의 손가락조차 사랑하고 싶었다. 조리원에서 세아를 볼 때마다 눈물이 났지만, 아내와 기도하면서 한 번뿐인 이 순간을 슬픔으로 보내지 말자고 다짐했다. 그렇게 하트 손가락은 우리 가정을 찾아왔다.

지금에 와서 생각해 보면 세아의 하트 손가락으로 우리 가정의 믿음이 더욱 굳건해졌다. 조리원에서 기도하면서 우리 부부는 하나님께 원

망의 마음이 아닌, 하나님께서 우리가 이겨낼 만한 시험을 주신 것이라 생각했다. 그래서 더 간절히 기도하며 하나님의 마음을 알아가려 애썼다. 세아의 병명은 '다지증'이다. 평생 들어본 적 없는 이 병에 대해 쉬는 시간 내내 검색을 참 많이도 했다. 찾아보니 만분의 1의 확률인 희귀 질환이지만, 몽골인 계열을 비롯한 동양권에선 4~5천분의 1 정도로 생각보다 다지증을 가진 이들이 많았다. '도요토미 히데요시'도 육손이였다고 전해지고 오히려 다재다능한 우성인자가 다지증임을 알게 되었다. 그런데도 일반인과 생김새도 다르기도 하고 특히나 딸아이인 우리 아이에겐 그러한 특별함을 주어지게 하고 싶지 않았다. 불현듯 어릴 때부터 혀가 길어서 자랑이 되기도 했지만, 놀림감도 되기도 했던 내 어린 시절이 생각이 났다. 2018년도엔 도마뱀 사나이로 국내에서 가장 혀가 긴 사람으로 〈SBS 순간포착 세상에 이런 일이〉에 출연했었다. 그때도 출연을 결심하기까지 많은 고민이 있었다. 남다른 특별함이 상처로 이어질 수도 있고 어떠한 방식으로든 나에게 영향을 끼칠 것임을 알았기 때문이다. 이런 것을 잘 알고 있어서 우리 아이는 더더욱 그러한 상황을 겪게 하고 싶지 않았다. 이런 게 부모의 마음일까.

　에세이를 쓰는 지금은 세아의 손가락 절개 수술이 무사히 끝나서 회복 중이다. 이렇게 최종 수술을 하기까지는 세 번의 병원 방문과 6번의 비행기 탑승이 있었다. 50일에 첫 비행기를 타고 육지로 가서 검사받고, 100일에 수술을 위해 내원했으나 물렁뼈가 연결되어 있을 수 있다는 검사 결과로, 결국 세아의 몸무게가 10kg이 되는 즈음에 맞춰서 수술을 하기로 했다. 끝내 9개월 차에 10kg이 넘은 아이를 데리고 가서 수술을 할 수 있었다. 모든 게 하나님의 은혜였고, 친절하고 탁월한 원장님과 간호사분들 덕분에 수술도, 입원 생활도 잘 견딜 수 있었다. 치료를 위해 양가 부모님을 비롯한 가족들이 너무나 고생해 주셨다. 부모님께선 대구까지 데려다주시며 입원 수속과 각종 검사를 함께해 주셨고, 장인어른과 장모님께선 퇴원 수속과 퇴원 후 친정집에서 편히 쉴 수 있게 배려를 해주셨다. 대구엔 처형네가 있어서 입원 중간에 빨래도 해주고 반찬도 갖다주셨다. 부부가 간호사인 형님네 덕분에 아이의 수술에 대해 궁금한 게 있으면 찾아봐 주고 알려주셨다. 입원 전날 누나와 매형이 마음이 담긴 치료비를 지원해 주기도 했다. 이렇게 세아의 수술을 앞두고 우리 가족의 존재가 참으로 든든했다. 이 자리를 빌려 우리 가족 모두에게 감사의 마음을 전하고 싶다.

주님, 우리 가족이 감당할 수 있는 크기의 시련을 주셨음을 압니다.

세아를 통해 우리 가정이 주님께 더욱 가까이 다가가는 계기가 되게 해주
셔서 감사합니다. 이 마음을 잊지 않고 항상 주님과 동행하는 가정이 되길 소
망합니다.

환상의 섬, 제주에서의 육아

아이는 환상의 섬이라 불리는 제주에서 태어났다. 이번엔 어떻게 제주에 와서 육아하게 되었는지 이야기하려 한다.

대한민국 해군 장교로 군 복무를 하고 있으며, 발령지를 제주 서귀포로 명령을 받아 근무하게 되었다. 처음 제주에 왔을 땐 관사가 생각보다 늦게 나오게 되어 부대 근처 호텔에 한 달을 묵으며 만삭인 아내와 함께 생활했다. 다행히 아이가 태어나기 전에 관사를 배정받아 이사했고, 그렇게 제주에서 단란한 육아를 하게 되었다.

이사가 잦은 군인의 특성상 아내와 결혼하고 1년도 채 되지 않아 이사를 오게 되어 미안한 마음이 컸다. 더군다나 평생을 창원에서 살았던 아내였기에 아는 사람 하나 없는 제주에 나만 믿고 온 아내에게 정말 고마웠다. 주말에도 출근하고 당직을 서는 일이 많아 혼자 남겨진 아내가 얼마나 외로웠을까. 지금도 항상 아내에겐 고마운 마음뿐이다.

제주에서의 육아는 환상과는 달랐다. 주말마다 놀러 다닐 것 같았지만 어린 아기와 갈 수 있는 곳은 한정적이었고, 주말에도 대기 태세가 있어서 자주 돌아다니지는 못했다. 그런데도 틈틈이 아이를 데리고 제주 라이프를 즐기기 위해 다닐 수 있는 곳을 열심히 찾아보고 구경하러 다녔다. 1주일 뒤면 육아휴직도 들어가서 더욱 제주에서의 육아가 기대된다. 못다 한 여행을 한 달 정도는 마음껏 즐기고 다시 육지로 돌아갈 계획이다.

사실 제주에서 육아하기에는 어려움이 조금 있다. 당근 마켓(중고 거래 앱)에 올라오는 아기용품도 육지에 비해선 상대적으로 적고, 병원도 한정적인데 특히나 서귀포는 제주시에 비해 더 작은 도시여서 출산도 딱 한 군데, 의료원에서만 할 수 있었다.

단점만 너무 열거했지만, 아이에게 좋은 공기를 마시게 해주고 좋은 볼거리를 보여줄 수 있다는 장점도 있다. 근처에 다양한 관광지와 아름다운 해변과 자연 풍경을 볼 때면 이곳이 환상의 섬이 맞구나 싶다. 아쿠아플라넷에선 아이도 입이 딱 벌어져 맘껏 호기심을 충족하기도 했다. 간간이 제주 여행을 오는 손님들을 맞이하는 기쁨도 있고, 언제 제주에서 살아보겠나 싶은 생각에 문득문득 감사한 마음도 든다. 더군다나 비행하는 헬기 조종사로 근무하고 있기에 아름다운 제주 바다를 하늘에서 누비는 행운도 누리고 있다. 딱 하나 아쉬운 건 아내와 아이를 태워줄 수 없다는 것이다.

혹시 다른 사람들이 제주에서의 육아를 추천하냐고 묻는다면, 고민이 조금 되긴 하지만 추천하고 싶다. 단점보다는 장점이 많고 육지와는 동떨어져 외롭긴 하겠지만 그만큼 가족들과의 시간을 더욱 많이 가질 수 있다. 사이도 돈독해지는 것은 덤이다. 언제나 내 편인 아내와 아이에게, 나도 항상 같은 편이 되어주며 제주에서의 남은 시간 동안 함께 행복하게 보내고 싶다.

　주여, 우리 가정을 이곳에 보내신 계획이 있음을 믿습니다. 힘든 순간들도. 외로움이 몰려오는 시간도 있었지만, 우리 가정이 더욱 뭉치는 계기가 되게 하심에 감사합니다. 앞으로도 우리 가정, 주님 안에서 서로를 의지하며 어려움을 극복할 수 있는 용기와 힘을 주옵소서.

나의 시간, 우리의 시간

결혼을 하고 나서, 특히 아이가 태어나고 나서부터는 많은 것들이 바뀐다. 혼자만의 시간이 확연히 줄어들고, 가족과 함께하는 '우리의 시간'이 확연히 늘어난다. 여기서 '우리의 시간'의 정의는 물질적으로 함께 하는 시간뿐만 아니라 가족을 위해 할애하는 시간도 포함된 것이다. 가령, 아내와 아이에 관한 이야기를 나누는 것부터 각종 집안일(아이의 젖병 씻기, 목욕 후 뒷정리, 장난감 정리 등)을 하는 모든 시간을 말한다. 혼자 생활할 때와 정말 180도 다른 하루하루를 보내고 있다.

나는 본래 루틴적인 삶을 추구하며 살았다. 군인임과 동시에 조종사라는 직업 특성이 나를 그렇게 만들었다고 생각한다. 딱딱 계획에 맞춰진 틀대로 생활하려고 노력하였고, 어떤 일이 끝나면 그다음 일을 몇 시까지 끝낼지 생각하고 계획을 세웠다. 그렇게 살았을 때의 하루는 큰 보람으로 다가왔다. 결혼하고 나서도 이러한 습관 때문에 결혼 초반엔 아내를 외롭게 하기도 했다. 아내와 함께 있는 시간에 루틴을 세워 나만의 세계에 빠져들었을 때 아내는 얼마나 서운했을까. 물론 이해도 해주었지만, 결혼생활이라는 것은 서로가 서로의 삶 속에 들어왔기 때문에 함께 시간을 보내는 것이 정말 중요하다. 그래서 나 혼자만의 세계에서 이제는 빠져나와 루틴에 아내와 함께하는 우리의 시간도 포함해서 행복한 결혼생활을 이어가고 있다.

그런데 아이가 태어나서는 더더욱 나만의 루틴을 실행할 시간이 부족해졌다. 그런데도 지금의 생활이 너무나 행복하다. 퇴근 후에도 이어지는 끝없는 집안일이 조금은 고되다고 느껴질 때도 있지만 항상 속으로 되뇌는 생각이 있다. 나의 시간이 줄었다고 불평하는 것이 아니라, 우리의 시간이 늘어난 것이라 생각하면 버텨지고 힘이 난다.

　이제는 '나의 시간'이 아닌, '우리의 시간'을 더 소중히, 더 많이 간직하고 싶다.

　주님, 시간을 창조하시고 우리를 창조하시어 이 세상에서 살아가게 해주심에 감사합니다. 이 귀한 시간을 주님이 예비해 주신 아내와 아이와 함께 지혜롭게 사용하길 바라옵고 원합니다.

부모님의 편지

백일 , 박세아

2023.11.18

百
日

세아가 태어나고 제주에서 육아를 시작했을 때 부모님께선 추석과 설을 포함하여 거의 두세 달에 한 번씩은 제주에 오셔서 육아에 큰 힘이 되어주셨다. 이제 곧 환갑인 아버지가 세아를 하루 종일 안아주셨고, 어머니는 세아를 포대기로 업어주시며 금지옥엽 이뻐해 주셨다. 첫 손주라 얼마나 이뻐 보였을까. 아이는 복덩이로 우리 가정에 선물처럼 찾아왔다. 지금도 양가 부모님의 사랑이 우리에게 고스란히 전해져서 세아에게 흘러넘쳐 가고 있다. 우리 세아가 이렇게 사랑을 무럭무럭 먹고 자라 나중에 아이들에게 똑같이 사랑을 전할 수 있는 부모가 되었으면 더 바랄 게 없을 것이다.

　부모님이 세아의 출생 백일에 제주에 오셔서 손수 전해준 편지를 소개하고자 한다. 이 편지도 언제든지 읽어볼 수 있게 장모님의 편지와 함께 냉장고에 붙여두었고 나중에 세아가 커서 직접 읽을 그날을 고대한다.

사랑하는 아들 찬웅, 은미, 세아에게

첫 번째 써보는 편지!

29년 전 엄마, 아빠의 아들로 태어나,

　건강하고 씩씩하게 자라서 이젠 한 가정의 가장이 되고, 나아가 국가를 위해 헌신하는 군인으로 생활하는 아들이 자랑스럽구나.

사랑하는 며느리 은미!

우리 집안에 보배로 와줘서 너무나 감사하고, 한 가족이 됨을 자랑스럽게 생각하고, 축하하고 사랑한다.

그리고 예쁜 세아를 출산하여 오늘의 이 자리가 참으로 영광스럽구나.

오늘의 이 자리는 부모인 아들과 며느리의 온전한 신혼생활과 하나님이 주신 보물인 세아의 탄생, 그리고 백일째 되는 날이 있게 된 모든 것들이 너희의 노력과 헌신이라 생각한다.

축복하고 사랑한다.

앞으로 생활하면서 더 어려운 일들, 복잡한 일들, 힘든 일들이 많겠지만 슬기로운 지혜와 강한 마음으로 잘 이겨내길 바라고, 또한 세아가 건강하고 씩씩하게 성장할 수 있도록 잘 보살피리라 믿고, 축복을 많이 받아 이름처럼 세상을 아름답게 가꾸어 나가도록 잘 이끌어 주길 바란다. 그게 너희의 축복이자 가정의 축복이 아닐까, 생각한다.

할아버지 할머니도 우리 세아가 너무나 예쁘고 사랑스럽고 귀엽기만 하구나. 너희와 세아가 잘 생활할 수 있도록 우리도 돈 많이 벌고 아껴서 보탬이 되는 부모가 될게! 지금까지 해 온 것처럼 힘든 일, 어려운 일들이 있으면 언제라도 상의하면서 서로 지혜를 모아 행복한 가족이 되자꾸나.

단란하고 행복한 가정, 웃음꽃이 활짝 핀 가정,

건강과 축복이 넘치는 가정,

하나님의 은혜가 충만한 가정이 되길 바란다.

그리고 기도할게.

세아의 출생 백일을 기념하면서. 2023.11.18.

- 세아의 할아버지, 할머니가 제주도에서 -

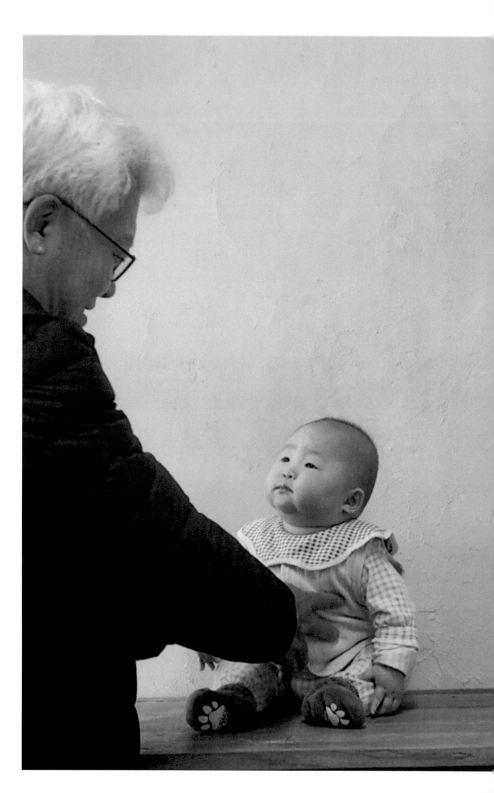

함께하는 육아

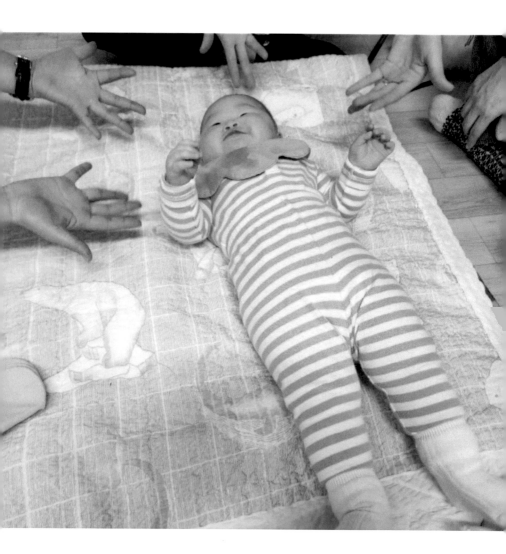

세아가 태어난 지 벌써 10개월 차가 되었다. 지난 10개월을 돌아보면 정말 아내의 헌신이 없었더라면 앞이 캄캄했을 것이다. 아내는 육아휴직을 하고 먼 제주까지 오직 나만 믿고 와주었고, 홀로 육아하는 것이 힘들었을 텐데 잘 버텨주었다. 100일까지는 아이가 통잠을 자지 않아 새벽에 많이 깰 수밖에 없었는데, 비행하는 나를 배려해서 매일 새벽마다 일어나서 아이를 돌봐주었다. 그렇게 새벽엔 아내가 거의 아이의 잠을 책임졌다.

아내의 장점을 나열하자면 끝이 없지만, 육아의 주양육자인 아내 덕분에 세아가 튼실하고 건강하게 잘 자라고 있는 건 확실하다. 제주에서 자기 몸 챙기기도 힘들었을 텐데 만 5개월 간 모유 수유도 하고 지금은 이유식을 직접 만들어서 먹이는 모습에 많은 감동을 받았다. 한편으론 '엄마는 위대하다'라는 생각을 참 많이 했다. 아이가 지금처럼 밝게 웃는 것 또한 아이의 시선에 맞춰 잘 놀아주는 아내 덕분이라 생각한다. 아내는 육아에 대해 남들과 비교하기보단 우리만의 육아를 지향하며 그렇게 세아를 키웠다. 육아를 함께하며 아내에게 많이 배웠고 그 외에도 감사한 점이 한둘이 아니다. 아내와 함께하는 육아가 행복했기에 우리는 둘째도 계획 중이다. 세상의 봄날, '세봄'이라고 이름도 지어두었다. 아이 둘과 함께하는 우리의 육아는 어떤 모습일지

궁금해진다. 그렇지만 분명 우리는 우리답게 육아를 해낼 거라 자부한다.

육지가 아닌 섬에서 육아한다는 것은 가족들의 도움을 많이 받을 수 없다는 한계가 있지만 그만큼 도와주러 오는 가족들에게 더 큰 고마움을 느낄 수 있었다. 조리원 생활을 마치고 산후 도우미가 3주간 오기로 했으나, 나의 급작스러운 코로나19 확진으로 아내가 신생아인 세아를 홀로 봐야 하는 상황에 놓였다. 그때 어머니와 장모님이 번갈아 와주셔서 한시름 놓을 수 있었다.

그리고 명절 때엔 이동이 어려운 우리를 위해 온 식구들이 제주로 입도하였고, 누나네와 처형네, 형님네 부부에겐 아이에게 딱 어울리는 옷들과 육아용품을 선물 받아 풍족한 육아템을 구비할 수 있었다. 대구에 살던 처형네 부부는 대구에서 세아의 다지증 수술을 앞두고 있었던 우리에게 안방까지 내어주며 배려를 해주었다. 온 가족이 우리를 돕고 배려해 주고 사랑을 주었기에 육아에 많은 힘이 되었다. 이처럼 가족은 든든한 울타리이자 조력자가 되어주었다.

함께하는 육아에 대해서 말하자면, 교회 이야기를 빼놓을 수 없다. 목사님을 비롯한 해군제주교회 식구들이 있었기에 제주에서의 육아가 더욱 행복했다. 세아가 교회에 들어서는 순간부터 세아를 따뜻하게 불러주시고 세아의 변화 하나하나에도 반응해 주셨다. 유아실도 깨끗하게 청소해 주시고 아기침대를 주셔서 주일마다 쾌적한 환경에서 예배를 드릴 수 있었다. 예배 후 점심 식사 땐 목사님과 집사님들이 돌아가면서 아이를 돌봐주셔서, 교회에서 먹는 점심이 유일하게 편하게 먹는 식사가 될 수 있었다. 아이가 낯가림하는 시기도 덕분에 잘 지나갈 수 있었다. 무엇보다 아내가 교회에서 잘 적응하고 소통할 수 있어서 외로움도 이겨내고 신앙적으로도 큰 도움을 받아서 정말 감사했다. 이렇게 세아의 인생에 교회에서 받는 사랑이 차곡차곡 잘 채워졌다.

함께하는 육아의 중요함을 깨달았고 사회가 육아를 함께할 수 있게 점점 바뀌면 육아의 어려움을 덜고 아이를 통해 얻는 기쁨이 더욱 커지지 않을까 생각한다. 다정한 아내와 우리 세아를 사랑하는 모든 이들과 오늘도 함께하는 육아를 하고 있기에 힘이 난다.

주님, 한 아이를 키우는 데에 온전한 헌신과 아가페적인 사랑이 필요함을 느낍니다. 아이를 통해 우리를 향한 주님의 아낌없는 사랑을 조금이나마 느끼고 있습니다. 함께하는 이들의 사랑을 받은 세아가 그 사랑을 흘려보낼 수 있는 아이로 자랄 수 있게 도와주소서.

에필로그

　제주에 연고도 없는 우리 부부가 급작스러운 발령에 제주에서 아이를 낳고 육아를 하게 되었다. 외로움에 의지할 곳이 적었던 이곳에서 함께 육아 에세이를 기획하고 쓸 좋은 기회가 주어졌다. 바로 제주특별자치도와 제주문화예술재단이 후원하고 수눌음 돌봄공동체인 서귀포 오아시스가 주관하는'엄마의 활주로-함께 육아 에세이'에 참여하게 된 것이다. 그리하여 솔앤유 출판사를 통해 첫 책을 조심스레 내놓게 되었다.

처음은 뭐든지 서툴기 마련이기에 힘을 빼고 조금은 진솔하고 담백하게 담려 했다. 책 쓰기를 통해 육아에 대한 우리의 생각을 재정립하였고 세아의 다지증이란 희귀질환을 공개하면서 이것이 더 이상 아픔이 아니고 선물이라는 생각이 들게 해주었다.

육아 초보 엄마·아빠인 우리가 글을 쓰며 육아에 지친 마음, 타지에서의 외로움을 극복하고 치유와 회복을 경험하였듯이 이 책을 읽는 이들 또한 우리의 글을 통해 마음이 따스해지며 우리의 온기가 전달되길 바란다. 더불어 우리 아이가 자신의 이름을 따라 세상을 아름답게 만들어가고, 우리 아이가 살아갈 이 사회가 함께 육아할 수 있는 따뜻함이 가득한 곳이 되길 소망한다.

마지막으로, 에세이를 출간하며 훗날 이 책을 읽게 될 세아가 하나님 앞에서, 세상 안에서 당당하고 자신 있게 자신의 인생을 개척하길 진심으로 바라본다.

세아 탄생 하루 전 엄마의 기도

주님, 내일이면 기대하고 기다려온 우리 고미(태명)를 보게 됩니다. 38주간 품으며 울고 웃었던 시간이 떠오르네요. 엄마가, 아빠가 되는 게 아직 실감 나지 않고, 사실은 당장의 수술이 무섭습니다. 안전히 고미가 태어나고, 저도 수술을 이겨내고, 남편도 잘 도울 수 있게 저희 가정에 복에 복을 더하여 주세요.

　고미를 품으며 돈 많고 예쁘고 멋진 부모가 되기보다 고미에게 세상에 하나님이 보내신 이유를 깨닫고 독립된 존재로 잘 클 수 있게 도와야겠다는 다짐을 했어요. 기도 노트를 쓰며 세세하게 주님께 요청했던 것들을 잊지 마시고, 노트에 쓰지는 않았지만, 때에 따라 도우시는 하나님의 손길을 기대하고 소망합니다.

　고미야..!

　내일부터 "세아"로 불릴 텐데 너의 이름은 "세"상을 "아"름답게 살라는 부모님과 하나님의 마음이 담긴 이름이란다. 네가 너무 보고 싶어.

　내가 받은 하나님과 가족, 친구들의 사랑을 그 이상으로 듬뿍 부어줄게!!

사랑해 세아야♡

　2023. 8. 10.(목) 널 만나기 9시간 30분 전에, 엄마가.

부록 2

세아 탄생 하루 후 아빠의 기도

우리 고미(태명)를 무사히 만나게 해주심에 감사드립니다. 2023년 8월 11일 9시 9분경, 2.85kg으로 무사히 세상에 나오게 하심에 하나님께 무한한 영광을 올려드립니다. 지금은 출산의 고통으로 우리 은미가 많이 아파합니다. 고통을 덜어주시고 위로를 더해주시며, 해산의 고통에 참여케 하신 주님께 감사드립니다. 치유의 손으로 라파 하나님께서 우리 은미의 칼로 찌른 배의 상처를 덮어주시고 온전케 회복시켜 주옵소서.

고미를 보고 왔습니다. 올망졸망한 얼굴과 눈, 코, 입 모든 것을 완성케 하시고 부족함 없이 태어나게 해주심에 그저 감사합니다. 고미가 "세상을 아름답게" 변화시킬 것을 기대하고 고대하기에 지은 이름, "세아"처럼 그렇게 살아가길 소망합니다. 주님이 선물로 보내주신 이 아이, 저희 아이가 아닌 주님의 아이로 잠시 맡아 키우는 거룩한 사명을 주심에 감사합니다. 주님, 사랑합니다.

세아야, 아빠야.

태중에서 그토록 각인시킨 말, 내가 네 아빠야.

울게 되더라도 아빠 목소리 듣게 되면, 뚝! 그치게 되길 바랄게. 언제나 든든한 버팀목과 길이 되어줄게.

사랑하고 또 사랑한다♡

2023. 8. 11. 널 만나고 5시간 반 후에, 아빠가.

육아를 우리답게, 세상을 아름답게   세아 엄마와 아빠의 육아에세이 in 제주

발 행 | 2024년 07월 30일
저 자 | 김은미, 박찬웅
표지일러스트 | 김은미
디자인 | 오은정
인권표현검수 | 이지민
바른우리말검수 | 이지민
후원 | 제주특별자치도, 제주문화예술재단
주관 | 서귀포 오아시스
미디어에디터 | 최인서
작품편집, 에이전트 | 박산솔, 이정숙, 이선경
펴낸이 | 한건희
펴낸곳 | 주식회사 부크크
출판사등록 | 2014.07.15.(제2014-16호)
주 소 | 서울 금천구 가산디지털1로 119, SK트윈타워 A동 305호
전 화 | 1670 - 8316
이메일 | info@bookk.co.kr

ISBN | 979-11-410-9826-1